这是我的书 It's MY BOOK 6级：300字

# 精卫填海

作者：英　娃（Ying Wa）
插图：陶红亮（Hongliang Tao）

北京语言大学出版社
BEIJING LANGUAGE AND CULTURE UNIVERSITY PRESS
PHOENIX TREE PUBLISHING INC.

识 读 声音 女儿 来回 明白

句 型 后来……

字 数 319 字

cóng qián yǒu yí gè guó wáng jiào yán dì tā de nǚ ér
从前，有一个国王叫炎帝，他的女儿
jiào nǚ wá nǚ wá zhǎng de hěn kě ài yán dì hěn
叫女娃。女娃长得很可爱，炎帝很
xǐ huan tā
喜欢她。

yì tiān nǚ wá dào dōng hǎi wán tā zuò zài hǎi biān

一天，女娃到东海玩。她坐在海边

de shí tou shang kàn jiàn tài yáng tiào chu le hǎi miàn

的石头上，看见太阳跳出了海面。

hǎo měi a kě shì hēi yún lái le hǎi shang qǐ

好美啊！可是，黑云来了，海上起

le dà fēng bǎ nǚ wá zuò de shí tou yān mò le

了大风，把女娃坐的石头淹没了。

nǚ wá bú jiàn le yán dì sì chù zhǎo hòu lái zài
女娃不见了，炎帝四处找。后来在

hǎi biān de shí tou shang zhǎo dào nǚ wá de yì zhī xié
海边的石头上找到女娃的一只鞋，

tā cái míng bai nǚ ér diào jin le dà hǎi
他才明白女儿掉进了大海。

yán dì zuò zài hǎi biān yì biān kū yì biān xiǎng zhe
炎帝坐在海边，一边哭一边想着

kě ài de nǚ ér zhè shí yì zhī xiǎo niǎo fēi lai
可爱的女儿。这时一只小鸟飞来

le huā sè de tóu bái sè de zuǐ hóng sè de
了。花色的头、白色的嘴、红色的

jiǎo jīng wèi jīng wèi de jiào zhe
脚，“精卫、精卫”地叫着。

yán dì kàn zhe zhè zhī niǎo hǎo xiàng tīng dào le nǚ wá de
炎帝看着这只鸟，好像听到了女娃的
shēng yīn yán dì shuō nǚ ér shì nǐ ma jiù jiào nǐ
声音。炎帝说：“女儿，是你吗？就叫你
jīng wèi ba zhǐ jiàn xiǎo niǎo yòng zuǐ diāo le yí kuài xiǎo
精卫吧！”只见小鸟用嘴叼了一块小
shí tou fēi dào dà hǎi shàng kōng bǎ shí tou rēng dào le hǎi
石头，飞到大海上空，把石头扔到了海
li tā lái lái huí huí de diāo shí tou rēng shí tou
里。她来来回回地叼石头、扔石头。

yán dì míng bai le tā shì xiǎng bǎ dà hǎi tián píng
炎帝明白了，她是想把大海填平。

yán dì shuō nǚ ér a dà hǎi shì tián bu píng
炎帝说："女儿啊，大海是填不平

de kě shì jīng wèi yòng lì de pāi dǎ zhe shuāng
的。"可是精卫用力地拍打着双

chì hǎo xiàng zài shuō wǒ huì chéng gōng de
翅，好像在说："我会成功的！"

xiǎo péng yǒu nǐ yào shi zài hǎi biān kàn dào hěn duō xiǎo
小朋友，你要是在海边看到很多小

jīng wèi diāo shí tou tián hǎi yě yí dìng huì bèi tā men
精卫叼石头填海，也一定会被它们

de jué xīn gǎn dòng de shì bu shì
的决心感动的，是不是？

1 从前，有一个国王叫炎帝，他的女儿叫女娃。女娃长得很可爱，炎帝很喜欢她。

2 一天，女娃到东海玩。她坐在海边的石头上，看见太阳跳出了海面。好美啊！可是，黑云来了，海上起了大风，把女娃坐的石头淹没了。

3 女娃不见了，炎帝四处找。后来在海边的石头上找到女娃的一只鞋，他才明白女儿掉进了大海。

4 炎帝坐在海边，一边哭一边想着可爱的女儿。这时一只小鸟飞来了。花色的头、白色的嘴、红色的脚，“精卫、精卫”地叫着。

5 炎帝看着这只鸟，好像听到了女娃的声音。炎帝说：“女儿，是你吗？就叫你精卫吧！”只见小鸟用嘴叼了一块小石头，飞到大海上空，把石头扔到了海里。她来来回回地叼石头、扔石头。

6 炎帝明白了，她是想把大海填平。炎帝说：“女儿啊，大海是填不平的。”可是精卫用力地拍打着双翅，好像在说：“我会成功的！”

7 小朋友，你要是在海边看到很多小精卫叼石头填海，也一定会被它们的决心感动的，是不是？

1

2

3

4

5

6

看图讲故事

7